Scénario John "POC" LANG
Dessins Marion POINSOT
Couleurs LORIEN

Lettrage Pierre LEONI

Je dédie cet album à tous les internautes qui nous ont supporté,
et grâce à qui Naheulbeuk est maintenant autre chose qu'une anecdote.
Et à toutes les pizzas sacrifiées sur l'autel de l'humour.
POC

" Merci à Pen of Chaos, Pierre Leoni, David Labarde, Vengeance, Lorien, Gary Gygax, J.R.R Tolkien,
Peter Jackson et à tous ceux qui ont contribué de près ou de loin à la réalisation de cet album ! "
Marion POINSOT

Un énorme merci à ma chérie pour son soutien et son aide précieuse.
Merci aux wriggles pour avoir mis un peu de son dans mes longues nuits d'insomnie.
Lorien

Retrouvez l'univers de Marion POINSOT sur :
http://www.chaelle.net
http:/katurajdr.jexiste.fr

En savoir plus sur l'univers de Naheulbeuk sur http://www.penofchaos.com/donjon/

"Certains graphismes sont inspirés de la collection de figurines Naheulbeuk
avec l'aimable autorisation de Fenryll et Thomas Boulard".
Fenryll est sur http://www.fenryll.fr/

Le CD "Machins de Taverne", écrit et interpreté par Pen of Chaos et le groupe Naheulbeuk, édité par le 7ème Cercle.
Il est illustré par Myrdhinn et Lorien, Nauriel/GreenElven, Morgil/Obsidiurne, Daniel Capparelli.
Plus d'informations sur http://www.penofchaos.com/warham/donjon-disque.htm

Les T-Shirts, produits par le 7ème Cercle.
Les illustrations des modèles actuels sont de Fab, GPU et Myrdhinn.
Plus d'infos ici : http://www.penofchaos.com/warham/donjon-tshirts.htm

Collection de figurines produites par Fenryll
Idée, relation, organisation : Patrick Receveur
Design des personnages : Thomas Boulard
Illustration boîte : Morgil/Obsidiurne
Fabrication, conseil et suivi : Fenryll
Concept : John "Pen of Chaos"

De la même dessinatrice :

© 2005 Éditions CLAIR DE LUNE.
http://editionsclairdelune.free.fr

Stylique : Pierre LEONI.
Dépôt légal : Janvier 2005 · ISBN : 2-913714-67-6
Septième Édition.
Imprimé en France par Delta Color / Reliure SIRC.

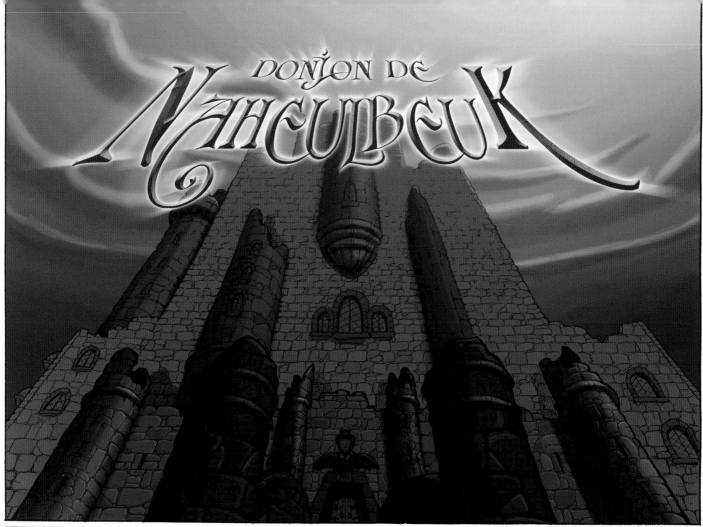

DONJON DE NAHEULBEUK

C'EST ÇA, LE DONJON ?
IL A PAS L'AIR TERRIBLE...

AH BON ?

FAUT PAS S'Y FIER, CAR PERSONNE N'EN EST RESSORTI !

FAUT DIRE AUSSI QUE PERSONNE N'Y EST ENTRÉ.

BON, ALORS, EST-CE QUE VOUS AVEZ BIEN TOUS VOTRE ÉQUIPEMENT ?

MAIS BIEN SÛR QU'ON A NOTRE ÉQUIPEMENT !

EST-CE QUE VOUS AVEZ DES TORCHES...

MAIS BIEN SÛR QU'ON A DES TORCHES !

DE QUOI MANGER...

MAIS OUAIS, ON A PRIS À MANGER !

EST-CE QUE VOUS AVEZ À BOIRE, ET...

MAIS BIEN SÛR QU'ON A DE LA BOISSON !

EST-CE QUE VOUS AVEZ VOS ARMES, ET...

MAIS BIEN SÛR QU'ON A DES ARMES !

MAIS TU VAS LA FERMER OUI ??
QUEL CHIANT CE NAIN !!

BAMF!

AKALA VOLO.

QU'EST-CE QU'IL A ENCORE, LUI ?

IL DIT QU'IL A ENVIE DE CHIER...

AH, C'EST MALIN, IL AURAIT PU FAIRE À L'AUBERGE !... BON, VAS-Y, ON T'ATTEND...

BROUDAF ZOG ZOG.

DOULA.

MAIS IL POURRAIT ALLER PLUS LOIN QUAND MÊME !..

AH LALAA..

LES OGRES SONT SENSIBLES...

RIEN À FOUTRE.

ÇA NOUS INTÉRESSE PAS.

J'AI DIT ÇA NOUS INTÉRESSE PAS !

LES OGRES SONT PARFOIS POÈTES.

LES OGRES PEUVENT CHANTER ET DANSER...

UN OGRE PEUT FAIRE LA CUISINE ET LES PAPIERS PEINTS...

TU VEUX VRAIMENT MON POING SUR LA GUEULE ??

EH BIEN, PUISQUE C'EST COMME ÇA, RESTEZ INCULTES !

J'AIMERAIS BIEN RENTRER DANS LE DONJON, J'AI FROID.

BON, BEN MOI, JE VAIS OUVRIR LA PORTE.

TOC TOC !

MAIS QU'EST-CE QUE TU FOUS ?!

BEN, JE FRAPPE POUR QU'ON VIENNE NOUS OUVRIR !

AH, BEN BRAVO, ÇA VA ÊTRE DISCRET COMME ENTRÉE !!

MAIS QUELLE CONNE...

VOUS VOYEZ ! ÇA MARCHE !

MES AMIS, LA PORTE EST OUVERTE...

3

Courageusement,
le groupe pénétra
dans le donjon,
avec l'air méfiant de ceux
qui sont avisés...

JE NE SAIS PAS CE QU'ON VA TROUVER LÀ-DEDANS, MAIS ÇA SCHLINGUE.

ÇA PEUT S'EXPLIQUER FACILEMENT, L'OGRE A CHIÉ À DEUX MÈTRES DE LA PORTE.

HUH HUH HUH.

ET OÙ EST LA STATUETTE ?

COMME TOUTES LES STATUETTES, ELLE EST DANS UNE SALLE AU TRÉSOR GARDÉE PAR UN PUISSANT MAGICIEN.

BASTON !

SI ÇA SE TROUVE, SES POUVOIRS SONT PLUS FORTS QUE LES MIENS...

HÉ, ÇA VA PAS ÊTRE DUR !!

AH, C'EST MALIN !...

ALORS, COMME MONSTRES, SI ON REGARDE DANS LA TABLE DES RENCONTRES, ON PEUT TROUVER TOUTES SORTES DE MORTS-VIVANTS :...

...DES ARAIGNÉES GÉANTES...

OK !

...DES ORQUES ET DES GOBELINS...

OK !

...DES TROLLS DANS LES SOUTERRAINS...

OK !

...DES SORCIERS, DES GUERRIERS MAUDITS, DES RATS MUTANTS, UNE BOUTEILLE D'HUILE, DU PAPIER TOILETTE, DEUX ÉPONGES ET DES RAVIOLIS.

JE CROIS QUE TU AS LU AUSSI TA LISTE POUR LES COURSES...

ET Y'A PAS DE DRAGON ?...

BEN NON, ON N'A PAS LE NIVEAU !

QUELQU'UN DEVRAIT FAIRE UN PLAN POUR NOTER NOS DÉPLACEMENTS...

J'AI PAS ENVIE.

J'AI PAS ENVIE.

J'AI PAS ENVIE.

TAKALA.

D'ACCORD, D'ACCORD, JE M'OCCUPE DU PLAN.

4

MARION 20

EN AVANT !

TAP TAP
TAP TAP
CLANG
CLINK!

STOOOP !

EEH!..
AAIE!!

VOUS ÊTES OBLIGÉS DE FAIRE TOUT CE BORDEL QUAND VOUS MARCHEZ ?

OH, BEN, C'EST À CAUSE DE L'ÉQUIPEMENT !

MAIS QU'EST-CE QUE JE FOUS LÀ MOI !!... BON C'EST REPARTI...

HÉ ! TU CONNAIS LA BLAGUE DE L'ORQUE BOURRÉ ?

NON ! RACONTE !

TAP TAP
TAP TAP
CLANG
CLINK!

STOOOP !

EEH!..
AAIE!!

FAUDRA M'EXPLIQUER POURQUOI L'OGRE CHANTE À CHAQUE FOIS QU'IL MARCHE.

ATTENDS JE VAIS LUI DEMANDER. **GRAVOZ VROTAPA BOZOH ?**

GNOLO.

IL DIT QU'IL T'EMMERDE.

BON D'ACCORD, ON N'EN PARLE PLUS...

ALORS CETTE BLAGUE ?

C'EST PAS LE MOMENT JE CROIS.

♪ ♫

TAP TAP   TAP TAP
   CLANC   CLINK!

EEH!!

AAÏE!!

STOOOP !

NOUS ARRIVONS À UNE INTERSECTION ET TROIS CHOIX S'OFFRENT À NOUS. IL FAUT DÉCIDER D'UNE DIRECTION À PRENDRE...

À DROITE !

TOUT DROIT !

À GAUCHE !

EN ARRIÈRE !

D'ACCORD JE VAIS DÉCIDER TOUT SEUL. ON VA À DROITE !

C'EST NOTÉ.

JE SUIS PAS D'ACCORD ! TU AS CHOISI LA DIRECTION DE L'ELFE !

NANAANANANAAAANÈREUH !

J'IRAI PAS À DROITE !

OK, ON VA À DROITE.

HUMF.

DE TOUTES FAÇONS, ON VOIT PLUS RIEN, IL FAUT ALLUMER LES TORCHES.

OUAIS C'EST VRAI, QUI A UN BRIQUET ?

9

MAIS QUEL NASE CE MEC, Y'A RIEN DU TOUT ! REGARDE !

J'AVANCE ET AAAH !!...

PAF

AAAH BEN BRAVO !

J'AI MAAAL !

QU'EST-CE QU'ELLE DIT ?? ON N'ENTEND RIEN !

ELLE DIT QU'ON DEVRAIT LA LAISSER LÀ ET CONTINUER.

SORTEZ-MOI D'ICI, C'EST TOUT GLUANT !

ELLE DIT QU'ON DEVRAIT LUI BALANCER DES ROCHERS SUR LA GUEULE POUR L'ACHEVER.

PAS QUESTION, ON VA LA SORTIR D'ICI. PASSEZ-MOI UNE CORDE !

JE T'ENVOIE UNE CORDE !

POC

AÏE !

JE CROIS QU'ELLE L'A EUE.

HO HISSE ! HO HISSE ! HO HISSE ! HO HISSE !

C'EST BON, JE LA VOIS QUI REMONTE.

DIS DONC LE NAIN, TU POURRAIS NOUS AIDER !

J'PRÉFÈRE MOURIR QUE FAIRE ÇA !

WAAIE !

MAIS POURQUOI TU LUI MARCHES SUR LA MAIN ?!

BAH, C'EST POUR PAS QU'ELLE RETOMBE !

AAH BEN MERCI, VOUS M'AVEZ SAUVÉ LA VIE !

ON S'EMMERDE DANS CETTE AVENTURE !

BON, EUH, SUIVEZ-MOI, ET FAITES ATTENTION AUX PIÈGES.

HOOO, ÇA VA, HEIN !

8

JE VAIS LANCER UN SORT DE DÉTECTION POUR SAVOIR S'IL Y A DES ENNEMIS EN BAS DE L'ESCALIER !

SUPER...

ALORS RÔTIR UN POULET... COUDRE UNE CHAUSSETTE... ÉLOIGNER SA BELLE-MÈRE...

ALORS ÇA VIENT ?

OUI, OUI, JE CONNAIS PAS CETTE FORMULE, JE DOIS CHERCHER DANS MON LIVRE DE SORTS.

LE TEMPS QUE TU TROUVES, LES ENNEMIS SERONT MORTS DE VIEILLESSE !

ÇA Y EST ! DÉTECTER LES ENNEMIS EN BAS DES ESCALIERS ! Xꟻ|ᴀᴀᴀᴀᴅᴀɴᴀ| ƷWᴀᴅᴏᴏᴏh !

ELLE EST SÛREMENT EN COMMUNICATION AVEC UN AUTRE MONDE...

JE VOIiiS... JE VOIiiS... UN AVENTURIER AVEC UNE CAPE... JE VOIS UNE FEMME TOUTE VÊTUE DE VERT AVEC LES OREILLES POINTUES.... JE VOIS UN BARBARE ET UNE ESPÈCE DE NABOT AVEC UN CASQUE EN FER... JE VOIS UNE GRANDE CRÉATURE AVEC UN PAGNE... JE VOIS...

TE FATIGUE PAS, C'EST NOTRE GROUPE QUE TU VOIS...

ET T'AS OUBLIÉ UNE MAGI-CIENNE COMPLÈTEMENT NASE !

DÉSOLÉE, IL Y A BEAUCOUP D'INTERFÉRENCES ICI. SÛREMENT UNE PUISSANTE MAGIE À L'OEUVRE !

EN TOUT CAS, NOUS AVONS CONSTATÉ L'EFFICACITÉ DE LA TIENNE.

MAiiiS !

BON C'EST PAS GRAVE JE VAIS DESCENDRE EN PREMIER EN UTILISANT MA COMPÉTENCE NATURELLE POUR LE DÉPLACEMENT SILENCIEUX...

VOUS ALLEZ VOIR COMMENT ON OUVRE UNE PORTE !

EH MERDE, TU VEUX SONNER L'ALERTE ?!

C'EST DÉJÀ FAIT, CETTE CONNASSE D'ELFE A FRAPPÉ À LA PORTE !

JE T'EMMERDE, PÉQUENOT !

ET COMMENT C'EST EN BAS ?

UNE GRANDE SALLE AVEC UN COULOIR. VENEZ !

IL FAUT DESCENDRE AVEC PRUDENCE...

AIE !... OUILLE !!... AAH... AIE !..

BLAM POUF VLAM PAF

JE CROIS QUE J'ME SUIS TORDU LA CHEVILLE ! Hiii...Hiii...Hiii...

JE VAIS TE FAIRE UN SOIN DES BLESSURES LÉGÈRES.

EUH, JE N'SUIS PAS SÛRE QUE...

MAIS SI, BOUGE PAS...

12

SHAZAAAM !

MERCI MAIS... C'ÉTAIT L'AUTRE JAMBE...

EH GALÈRE !

SHAZAAAM !

AH, JE M'SENS SUPER BIEN !

MAINTENANT, TU AS DEUX CHEVILLES NEUVES !

SI ÇA NE VOUS ENNUIE PAS, ON POURRAIT AVANCER ?

GNAGOF DZO KAGOULA

QUOI ?

IL DIT QU'IL A VU DES CHOSES BOUGER DANS L'OMBRE...

METTEZ-VOUS EN POSITION, NOUS AVONS DES CRÉATURES À COMBATTRE !

HUM, MOI JE VAIS RESTER ICI POUR... HEUU... SURVEILLER.

MAIS T'ES VRAIMENT UN DÉGONFLÉ !

BASTON !

JE VOIS DES OREILLES POINTUES ET... ET DES CROCS...

ALORS ?... QU'EST-CE QUE C'EST ?...

RAAAH !!

17

EUH... BON... HEU, J'VAIS FOUILLER L'AUTRE.

TAKALA !

QU'EST-CE QU'Y A ?

IL VEUT PAS QU'ON TOUCHE À SON ORQUE.

EH MEEEEEERDE !

MAIS IL DÉTIENT PEUT-ÊTRE UN OBJET CAPITAL POUR NOTRE MISSION !

AKNOUH MA ZOGDO.

IL DIT QU'IL VOUS DONNERA SES VÊTEMENTS QUAND IL L'AURA MANGÉ...

MAIS IL... IL VA VRAIMENT MANGER CETTE CRÉATURE PUANTE ?

HÉLAS...

ALORS ?

BAH J'AI TROUVÉ UNE VIEILLE GOURDE AVEC DU VIN POURRI, UNE ÉPÉE CASSÉE, UN COUTEAU, UN BOUCLIER MERDIQUE, DEUX PIÈCES D'OR, ET UNE CLEF AVEC UNE ÉTIQUETTE.

J'AIMERAI BIEN EXAMINER CETTE CLEF.

TU PEUX TOUJOURS COURIR !

ALLEZ, DONNE-LA-MOI !

VA CHIER !

POUR L'INSTANT NOUS N'AVONS PAS BESOIN DE CLEF, ALORS POURSUIVONS.

J'AI BESOIN DE FAIRE LE PLAN. LA PIÈCE FAIT 6 MÈTRES 34 SUR 10 MÈTRES 78 ET LA HAUTEUR AU PLAFOND EST DE 3 MÈTRES 55... LES MURS SONT DE GRANIT NOIR ET ON PEUT VOIR ICI LA MARQUE DE L'ARCHITECTE, MORT IL Y A 400 ANS ÉTOUFFÉ PAR SON ÉDREDON... UN COULOIR D'UNE LARGEUR DE 2 MÈTRES 55 SE DIRIGE VERS LE NORD ET DISPARAÎT DANS LES TÉNÈBRES...

LE VOLEUR VA PASSER EN PREMIER POUR DÉTECTER LES PIÈGES.

OUI C'EST CAPITAL, ALLEZ VAS-Y.

EUUHMMMH...EUH, VOUS ÊTES SÛRS ?

MAIS IL... IL Y A PEUT-ÊTRE D'AUTRES ORQUES !

SI VOUS VOULEZ JE PEUX LANCER UN SORT DE DÉTECTION POUR LES...

NON !

16

MARINI 2004

18

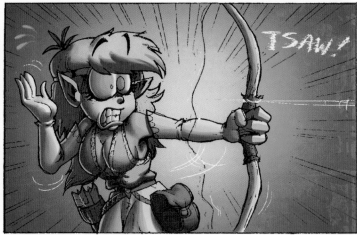

MAIS C'EST PAS VRAI ! QUELLE DÉBILE !

JE NE SAIS PAS CE QUI SE PASSE, MAIS ÇA FAIT TRÈS MAL !

L'ELFE T'A TIRÉ UNE FLÈCHE DANS LE DOS.

CHUIS VRAIMENT DÉSOLÉE...

J'AI PLUS ENVIE DE DÉTECTER LES PIÈGES ! ENLEVEZ-MOI ÇA !

FAIS VOIR CETTE BLESSURE...

AH LA VACHE, TU L'AS PAS LOUPÉ !

BRAVO !

TOI LA MAGICIENNE, FAIS QUELQUE CHOSE POUR SOIGNER CET HOMME QUI SOUFFRE !

JE N'AI PLUS DE SORT DE SOIN DISPONIBLES ! J'AI TOUT DÉPENSÉ SUR L'ELFE !!

ÇA FAIT ATROOOCEMENT MAAAAAAAL !

ZBOUALAF !

SPAM !

MAIS VOUS ÊTES TOUS DINGUES ??!

À PLUS MAL MAINTENANT.

KADOULA OPOG.

IL DIT QUE C'EST POUR L'ANESTHÉSIE. IL FAUT ENLEVER LA FLÈCHE.

J'VAIS L'FAIRE... J'AI DES COMPÉTENCES EN CHIRURGIE.

C'EST UNE VILAINE PLAIE.

ON FERAIT MIEUX DE LE LAISSER LÀ, IL VA NOUS ENCOMBRER !

DE TOUTES FAÇONS C'EST UN CONNARD !

UN PEU DE SOLIDARITÉ, BORDEL !

ATTENTION, JE TIRE LA FLÈCHE... UN, DEUX...

TROIS !

OUUUUAAAAAAAAÃ !!!

EH BEN, ÇA L'A RÉVEILLÉ !

ÇA PISSE LE SANG, IL IRA PAS LOIN !

JE VAIS POSER LA TORCHE SUR LA PLAIE POUR LE FAIRE CICATRISER...

ATTENDEEEZ...

YAWAAAAAARRRRRGGGGGG !!!

ÇA VA MIEUX ?

AAHHEUUU...

JE PENSE QU'IL VA S'EN SORTIR...

IL FAUT MAINTENANT VOIR CE QU'IL Y A AU BOUT DE CE TUNNEL...

QUELLE HORRIBLE PORTE !

REGARDEZ, IL Y A DES RUNES ICI.

ET UN GENRE DE BOUTON.

TU POURRAIS TRADUIRE ?

JE CROIS QUE C'EST ÉCRIT EN MORIAQUE DES COLLINES DE L'EST. JE VAIS CHERCHER DANS MON GRIMOIRE.

JE ME DEMANDE CE QUE TU FERAIS SANS TES LIVRES...

ON POURRAIT AU MOINS ESSAYER D'OUVRIR LA PORTE.

ET SI Y'A UNE MALÉDICTION ?

OU UN GLYPHE DE PROTECTION ?

OU UN GAZ TOXIQUE ?

MAIS NON, C'EST JUSTE UNE PORTE !

ATTENDEZ, J'AI LA SOLUTION ! C'EST ÉCRIT "LE MAGASIN EST OUVERT TOUS LES JOURS JUSQU'À 19H00. SONNEZ ET ATTENDEZ".

ÇA SENT L'ARNAQUE !

DRING !

EH MERDE MERDE ! QUI A SONNÉ ?

GOLO !

JE SAVAIS PAS QUE LES OGRES ÉTAIENT AUSSI CRÉTINS !

HA, C'EST PAS MOI CETTE FOIS !

GASNA TURLU DA.

IL DIT QUE SI ON N'APPUIE PAS SUR LE BOUTON, ON SAURA PAS SI Y'A UN PIÈGE.

C'EST STUPIDE !

MOI JE PRÉPARE MON ARC...

TU RANGES CET ARC TOUT DE SUITE !

HOLALA !

BONJOUUUR !

EUH... BONJOUR.

VOUS VOULEZ ACHETER DES ARMES ET DES OBJETS MAGIQUES ?

EUH... OUI MADEMOISELLE.

VOUS AVEZ DE L'ARGENT ?

EUH...

NON, ON N'A PAS D'ARGENT !

REVENEZ QUAND VOUS EN AUREZ !

MAIS QUEL CON ! C'EST PAS VRAI !

AÏE ! MAIS ÇA VA PAS !

CE N'ÉTAIT PAS DU TOUT LA BONNE RÉPONSE.

J'AI PAS ENVIE DE LEUR DONNER MON OR !

DRING!

EUH, REBONJOUR !

BONJOUR. VOUS AVEZ DE L'ARGENT MAINTENANT ?

OUI MADEMOISELLE...

COMBIEN ?

BAHHEEEEE...

ON N'A PAS COMPTÉ.

REVENEZ QUAND VOUS SAUREZ.

ENCORE RATÉ.

AKALA MIAM MIAM GLAKOU.

EST-CE QUE NOTRE AMI L'ABRUTI AURAIT UNE IDÉE ?

IL DIT QU'IL EN A PROFITÉ POUR MANGER SON ORQUE.

C'EST ÇA, IL A QU'À FAIRE SON PIQUE-NIQUE PENDANT QU'ON S'CASSE LE CUL À TROUVER DES SOLUTIONS !

ALORS COMBIEN VOUS AVEZ ?

TOI AUSSI, LE NAIN !

MOI, J'AI PAS ENVIE D'ACHETER DES CHOSES.

UN PEU DE BONNE VOLONTÉ !

J'AI UNE IDÉE !

MAIS ON N'A PAS COMPTÉ L'ARGENT !

PAS GRAVE...

DRING !

VOUS ÊTES ENCORE LÀ ?

BAMF !

AAAAAH !

MERDE ALORS, SON PLAN A MARCHÉ !

FACILE !

JE PRENDS DES NOTES POUR LE PLAN. LE MAGASIN FAIT 5 MÈTRES 22 SUR 3 MÈTRES 87, UNE SALLE RECTANGULAIRE DONT LES MURS SONT COUVERTS D'ÉTAGÈRES ET DE DIVERSES CHOSES... **AH BAH PUTAIN !**

QU'EST-CE QU'Y A ?!

REGARDEZ ÇA, C'EST LA ROBE DE L'ARCHIMAGE THOLSADUM ! C'EST UNE RELIQUE, UN VÊTEMENT POUR LES SORCIERS !

ALORS ON VA POUVOIR ACHE-TER TOUTES CES CHOSES ?

PAS BESOIN D'LES ACHETER, LA VENDEUSE EST DANS L'COMA !

IL A RAISON, NOUS N'AVONS QU'À NOUS SERVIR.

CA TOMBE BIEN, J'AI PAS UN ROND.

MOI JE VAIS FOUILLER LA VENDEUSE !

MOI AUSSI !

ATTENDEZ-MOI !

J'ARRIVE !

ELLE A SÛREMENT DES TRUCS CACHÉS SOUS SA ROBE...

PAS MAL !

HO LA BELLE PAIRE DE...

MAIS POURQUOI VOUS ARRACHEZ SES VÊTEMENTS ?

EUH... C'EST POUR TROUVER DES OBJETS...

IL FAUDRAIT FAIRE L'INVENTAIRE DU MAGASIN.

ET TROU-VER LA CAISSE.

ET DES ARMES.

MOI JE VOUDRAIS BIEN DES SANDALES POUR ALLER AVEC MA JUPE VERTE.

JE PRENDS LA ROBE DE L'ARCHIMAGE, PROTECTION MAXIMALE CONTRE LE FEU, +4 CONTRE LES BAGUETTES.

GLOU GLOU !

QU'EST-CE QU'IL DIT ?

IL A TROUVÉ LA RÉSERVE DE BIÈRE !

AAAAAH!!

MAIS... IL REFUSE DE PARTAGER...

OOOOOOH...

J'AI TROUVÉ UN COFFRE SOUS CETTE TABLE !

LA SERRURE COMPORTE UNE ÉTIQUETTE.

OUAIS ! C'EST LA MÊME QUE MA CLEF !

SUPER, DONNE-MOI CETTE CLEF !

PAS LA PEINE D'ESSAYER D'ME BAISER ! C'EST MA CLEF, ALORS C'EST MON COFFRE !

MAIS, TU DOIS PARTAGER AVEC LE GROUPE !

JE PARTAGE PAS AVEC LES VOLEURS ET LES ELFES !

MAIS QUEL CARACTÈRE DE MERDE !

DONNE LA CLEF !

NON !

PAF!

AÏE!

DONNE LA CLEF !

NON !

PAF!

AÏE!

DONNE LA CLEF !

TIENS, LA VOILÀ.

MERCI POUR TA BIENVEILLANTE COOPÉRATION.

CONNARD !

CLIC!

BAOM

EH MERDE, UNE BOULE DE FEU GÉANTE !

PUTAIN, MA BARBE A BRÛLÉ !

iiiH... J'AI PERDU AU MOINS DEUX POINTS DE VIE !

WEUUH... MOI AUSSI !

MOI J'AI RIEN DU TOUT ! GRÂCE À LA ROBE DE L'ARCHIMAGE, J'AI...

TA GUEULE !

REGARDEZ, DANS LE COFFRE ! Y'A UNE PETITE BOÎTE.

QUI EST-CE QUI VA L'OUVRIR ?

PAS MOI.

MAIS Y'A JAMAIS DEUX PIÈGES À LA SUITE !

J'AI PAS CONFIANCE DANS TES STATISTIQUES.

JE VAIS EXAMINER CET OBJET...

ATTENTION, TU ES DÉJÀ BLESSÉ.

IL Y A UN TROU ICI DEVANT.

ELLE EST PIÉGÉE !

C'EST UN LANCEUR DE DARDS EMPOISONNÉS.

BEN IL SUFFIT DE L'OUVRIR EN SE TENANT DERRIÈRE LA BOÎTE.

TCHAC !

AU MOINS UN TRUC QU'ON A ÉVITÉ !

IL Y A UN PARCHEMIN DANS CETTE BOÎTE...

C'EST PEUT-ÊTRE UN NOUVEAU SORT POUR MOI !

ALORS C'EST ÉCRIT "HA HA HA JE VOUS AI BIEN NIQUÉS". C'EST SIGNÉ "ZANGDAR".

ON S'EST FAIT AVOIR !

FAIT CHIER !

MAIS QUI EST-CE ZANGDAR ?

SANS DOUTE LE MAÎTRE DU DONJON.

IL VA M'LE PAYER !

ZOGLA !

EH BEN, ON VA DÉVALISER SON MAGASIN !

ON VA ÉCRIRE DES GROS MOTS SUR LES MURS !

ET ON VA ÉGORGER LA VENDEUSE !

OUAIS !

OUAIS !

OUAAIIIIIS !

EUH... LA VENDEUSE A DISPARU.

ELLE IRA PAS LOIN, À POIL DANS UN DONJON.

IMBÉCILE, ELLE VA SONNER L'ALERTE !

PRENEZ TOUT CE QUE VOUS POUVEZ, ON REMONTE AU CROISEMENT !

Un peu plus tard...

VOUS AVEZ VU MES NOUVELLES BOTTES ?

SUPER.

ET MON P'TIT CHAPEAU ?

JOLIES COULEURS.

ET MA BAGUE ASSORTIE AUX BOUCLES D'OREILLES ?

HA, VOUS Y CONNAISSEZ RIEN.

ON S'EN BRANLE !

J'AI TROUVÉ UN "RUNE STAFF OF CURSE" ET "UN SCROLL OF STUPIDITY".

QU'EST-CE QUE C'EST QUE CE CHARABIA ?

JE SAIS PAS, FAUDRA LES FAIRE EXAMINER PAR UN SAGE.

MOI, J'AI UNE GROSSE ÉPÉE ET UN CASQUE.

J'AI TROUVÉ CES BOTTES MAGIQUES ET UN GANTELET D'AGILITÉ.

MAIS QUEL EST LE POUVOIR DE CES BOTTES ?

JE SAIS PAS ENCORE, C'EST ÇA LE PROBLÈME.

POUR MA PART, J'AI UNE NOUVELLE DAGUE ET CETTE EXCELLENTE CAPE.

FOUTONS LE CAMP.

IL A RAISON, ON DOIT REMONTER AU CROISEMENT. EN AVANT !

ATTENDEZ !

QUOI ?

J'PEUX PLUS MARCHER !

JE CROIS QUE TU ESSAIES D'EMPORTER UN PEU TROP D'ÉQUIPEMENT.

QUEL EST CET OBJET ?

HEU... C'EST UN VASE EN BRONZE.

MAIS BON SANG, QU'EST-CE QUE TU VAS FAIRE AVEC UN VASE EN BRONZE ?

BEN... J'VAIS LE VENDRE AU MARCHÉ.

TU FERAIS MIEUX DE LE LAISSER LÀ.

EH MEEERDE.

ET ÇA ?

ÇA, C'EST UNE TÊTE D'OURS EMPAILLÉE.

MAIS ÇA PÈSE AU MOINS 10 KILOS !

MAIS ÇA PEUT SE REVENDRE AU MOINS 10 PIÈCES D'OR !

LAISSE-LA ICI !

EH MEEERDE !

ET Y'A QUOI DANS CE SAC ?

TROIS MASSES D'ARMES, UN CIMETERRE, QUATRE ÉPÉES COURTES ET DEUX MARTEAUX.

ON A DÉJÀ ASSEZ D'ARMES !

MAIS ÇA VAUT UNE FORTUNE !

ON POURRA TOUJOURS VENIR LES RECHERCHER APRÈS.

TU PEUX MARCHER MAINTENANT ?

ÇA VA, MAIS C'EST PAS AUJOURD'HUI QUE J'VAIS DEVENIR RICHE !

ET QU'Y A-T-IL DANS CE COFFRET QUI DÉPASSE DE TON SAC À DOS ?

BAH, RIEN DU TOUT, HEU... C'EST JUSTE UN COFFRET.

IL NOUS CACHE QUELQUE CHOSE.

ET SI ON ALLAIT CHERCHER CETTE STATUETTE ?

ON PEUT VOIR LE COFFRET ?

OH ! REGARDEZ CETTE SUPERBE PEINTURE SUR LE MUR !

FAIS VOIR CE COFFRET !

AAAAAAAHHHHH TOUCHE PAS !

EH MEEEERDE !

MAIS C'EST LA CAISSE DU MAGASIN !

IL VOULAIT LA GARDER POUR LUI LE P'TIT SALAUD !

27

MAIS PAS DU TOUT !

J'AVAIS L'INTENTION DE VOUS EN PARLER.

BONJOUR L'ESPRIT D'ÉQUIPE !

BON, JE RAMASSE LES PIÈCES ET ON S'EN VA.

KALOUNGA !

IL A ENTENDU DES BRUITS DANS LE COULOIR.

MAIS QU'EST-CE QU'ON VA FAIRE ?

COMBATTRE !

OUAIS !

ÇA SUFFIT VOUS DEUX !

IL FAUT S'ORGANISER.

ALORS PRÉPARONS-NOUS. VOUS DEUX, SORTEZ VOS ARMES. TOI, TU PRENDS TON ARC ET UNE FLÈCHE.

SI TU ME TIRES DESSUS, TU POURRAS PLUS JAMAIS MÂCHER UNE SALADE.

TOI, TU PRÉPARES UN SORT DE COMBAT.

JE VAIS LANCER LE TOURBILLON DE WAZZAA !

LE VOLEUR VA OUVRIR LA PORTE.

ET POURQUOI DOIS-JE EXÉCUTER LES TÂCHES INGRATES ?

PARCE QUE TU SAIS RIEN FAIRE D'AUTRE.

UN JOUR, JE VOUS MONTRERAI !

MAIS OUAIS C'EST ÇA.

ET L'OGRE, IL A PAS D'ARME ?

BEULA ZODROVA.

IL VA PRENDRE LE PIED D'LA TABLE.

ET TOI, QU'EST-CE QUE TU FAIS ?

EUH... JE SUPERVISE LA BATAILLE.

ATTENTION, VOUS ÊTES PRÊTS ?

OUAIIS !

OUVERTURE DE PORTE !

REFERME ! MAIS REFEERME !!

MAIS QU'EST-CE QUE TU FOUS ?!

BASTON !!

MAIS VOUS ÊTES FOUS ! ILS SONT AU MOINS QUINZE !

NOUS ALLONS PROBABLEMENT ESSUYER UN CUISANT ÉCHEC.

QUOI ?

IL DIT QU'ON VA S'FAIRE DÉFONCER LA GUEULE.

29

MarioN 204

ET COMMENT TU GAGNES DE L'EXPÉRIENCE SI TU NE COMBATS PAS ?

IL FAUT UTILISER LA RUSE.

MAIS OÙ EST-CE QU'ON PEUT TROUVER ÇA ?

C'EST QUOI LA RUSE ?

UN TRUC DE VOLEUR SANS DOUTE.

VOUS N'AVEZ JAMAIS RUSÉ ?

NON !

MAIS PUTAIN ! C'EST QUOI CETTE ÉQUIPE DE MEEEEERDE !

JE N'AI AUCUNE RUSE DANS MON SAC DE TOUTES FAÇON.

LA RUSE, C'EST UN MOYEN DE GAGNER SANS COMBATTRE.

LES GENS DE MON PEUPLE APPELLENT ÇA "LA PEUR".

CHEZ NOUS, ON APPELLE ÇA "CHIER DANS SON FROC".

MOI, J'AI RIEN COMPRIS.

BOUUUH SNIF !

SI JE MEURS APRÈS AVOIR FAIT LA RUSE, CROM RIRA DE MOI ET ME JETTERA HORS DU VALHALLA !

REGARDEZ SOUS LE TAPIS, IL Y A UNE TRAPPE.

BIEN JOUÉ, ON VA POUVOIR S'ÉCHAPPER.

S'ÉCHAPPER C'EST COMME RUSE.

MAIS NON, PAS DU TOUT, ÇA VEUT DIRE QU'ON A ENCORE DES CHOSES À VOIR DANS CETTE PARTIE DU DONJON.

VOUS ÊTES DES LÂCHES !

PAS DU TOUT, C'EST D'LA RUSE !

MarieN 200

JE M'OCCUPE DU PLAN. NOUS SOMMES DANS UN COULOIR SECRET CREUSÉ DANS LA ROCHE, À PRIORI C'EST DU GRÈS MAIS PAR ENDROIT...

PAS TROP DÉTAILLÉ S'IL TE PLAÎT.

IL SE DIRIGE VERS L'EST, 1M40 DE LARGE SUR 2M DE HAUT ET IL SEMBLE TOURNER AU SUD DANS 5 MÈTRES.

ZATAL CRAO.

IL DIT QU'IL DOIT MARCHER ACCROUPI, CE QUI N'EST PAS TRÈS PRATIQUE, AUSSI IL AIMERAIT BIEN QU'ON AVANCE.

IL A VRAIMENT DIT TOUT ÇA ?

OUI, MAIS JE VOUS AI DONNÉ LA VERSION LITTÉRAIRE.

CE COULOIR EST TROP ÉTROIT, ON NE PEUT AVANCER QU'EN FORMANT UNE LIGNE. PRENEZ VOS POSITIONS.

HEUU... C'EST QUOI NOS POSITIONS ?

LE BARBARE EN PREMIER, ENSUITE LE NAIN.

POURQUOI ?

C'EST VRAI ÇA, POURQUOI ?

EH BEN... POUR LA BASTON !

OUAIS, SUPER !

ENSUITE L'ELFE POUR UTILISER SA VISION, SUIVIE PAR LA MAGICIENNE.

JE NE VAIS PAS DERRIÈRE CE NABOT !

ET J'VEUX PAS QU'ELLE ME PLANTE UNE FLÈCHE DANS LE CUL !

BON, ALORS LA MAGICIENNE, PUIS L'ELFE.

D'ACCORD MAIS PAS D'ARC.

HOLALA !

ENSUITE L'OGRE.

MAIS IL SENT LA MORT !

ZAVOL TAGALA.

IL DIT QUE LES FLÈCHES DANS LE CARQUOIS VONT LUI GRATTER LE MENTON.

BON, ALORS LE VOLEUR, PUIS L'OGRE. JE FAIS L'ARRIÈRE-GARDE !

31

MARION 2004

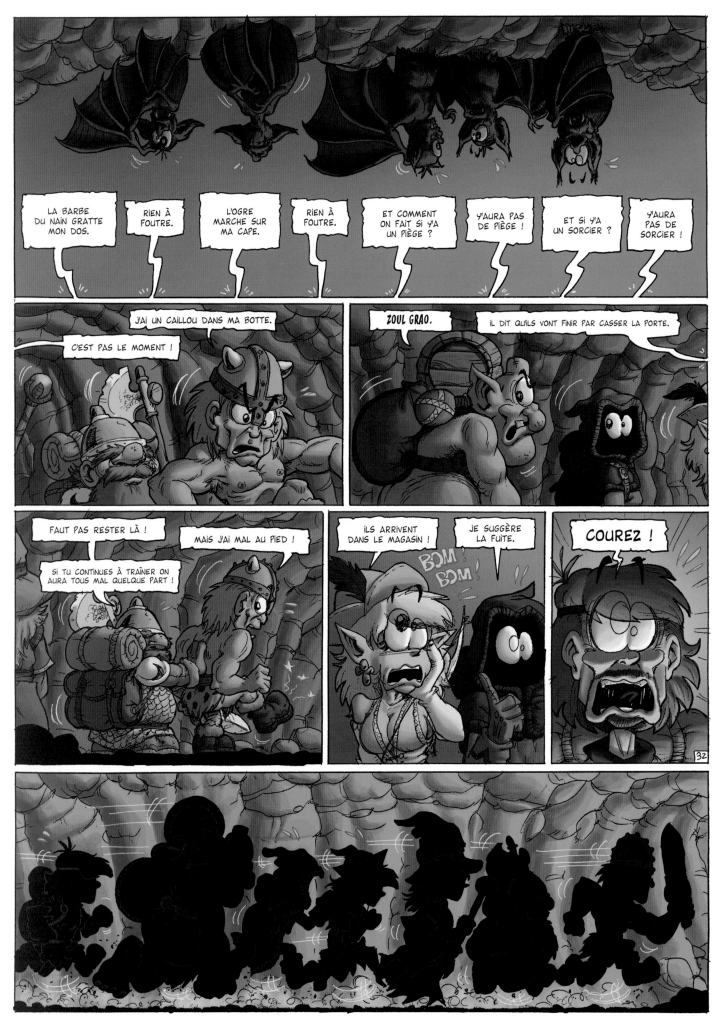

UN LONG COULOIR VERS L'OUEST, SUR 20 MÈTRES...

PLUS VITE !

ON VA LES S'MER.

STOOOP !

ÇA TOURNE ENCORE À DROITE !

CE N'EST PAS NORMAL.

ATTENDEZ !

T'AS UN CAILLOU DANS TA GODASSE TOI AUSSI ?

NON, J'AI UNE IDÉE FORMIDABLE ! ON VA PIÉGER LE COULOIR AVEC UN SORT.

C'EST UNE RUNE DE PROTECTION DE L'EMPIRE KOUNDAR. ELLE FUT CRÉÉE PAR LE SOUVERAIN POUR GARDER SON TRÉSOR.

ROOH MAIS C'EST PAS LE MOMENT DE RACONTER TA VIE !

JE L'AI ! POUSSEZ-VOUS ! xᴘʜ ᴊᴏɴᴛ̣ᴀʀ ɴᴀʜᴏᴜ sᴋᴀᴏᴍ ᴀʀʜʜʜʜ !

ET VOILÀ ! SI LES MONSTRES PASSENT PAR LÀ, ILS SERONT NOYÉS DANS UN TORRENT DE LAVE

IMPRESSIONNANT !

ALLEZ, ON SE TIRE !

34

STOOOP !

DROITE OU GAUCHE ?

DÉPÊCHEZ-VOUS, IL FAUT CHOISIR ! ALLEZ, À GAUCHE !

MAIS ON N'A PAS CHOISI !

STOOOP !

Y'A ENCORE TROIS DIRECTIONS.

DAMNED, C'EST UN LABYRINTHE.

NOUS ALLONS TOUS CREVER.

PAS DE PANIQUE, J'AI LA CARTE.

ALORS, OÙ ALLONS-NOUS ?

ATTENDEZ, J'AI UN LIVRE SUR LES DONJONS.

MAIS QU'EST-CE QU'ON VA FAIRE AVEC UN LIVRE !

LES LIVRES CONTIENNENT LA SAGESSE DES ANCIENS.

C'EST ÉCRIT : «DANS UN LABYRINTHE, IL FAUT TOUJOURS TOURNER DANS LA MÊME DIRECTION».

MAIS C'EST DÉBILE !

C'EST NAZE !

MAIS NON, ÇA PERMET DE DESSINER UN PLAN.

JE VOUS RAPPELLE QU'ON EST POURSUIVI.

BON, ALLEZ ! TOUT DROIT !

C'EST NOTÉ.

Marien 2004

STOOOP !

J'ENTENDS DES BRUITS !

UNE EMBUSCADE !

KLOBORG !

GARGALA !
GLOROG !

DES GOBELINS !

À MORRRRT !

ET JE NE PEUX MÊME PAS TIRER À L'ARC.

TANT MIEUX.

C'EST ENCORE
LE NABOT
ET LA BRUTE
QUI VONT RÉCUPÉRER L'EXPÉRIENCE !

JE VAIS
LES AIDER.

LAISSE TOMBER.

MON TOURBILLON
EST PRÊT.

ARRÊTE ÇA !

36

TOGA SWALA BÜD WAAAAZAAAAAAAA !

NOOOOOOOOON !

*MERCI À ETIENNE «VENGEANCE» POUR LA TRADUCTION ET POUR SON DICTIONNAIRE GOBELIN !

39

C'EST PAS VRAIMENT À ÇA QUE JE PENSAIS.

VOUS ÊTES MÉCHANTS.

JE NE SAIS PAS QUI VA FOUILLER LES CADAVRES, MAIS MOI ÇA ME DÉGOÛTE.

IL Y A UNE GROTTE UN PEU PLUS LOIN. JE LA NOTE SUR LE PLAN.

ALLONS-Y !

QUEL BORDEL !

C'EST SALE.

IL N'Y A QUE DU VIEUX MATÉRIEL USAGÉ.

MOI J'AI TROUVÉ QUELQUE CHOSE ! CETTE GROSSE CLÉ ACCROCHÉE SUR LE MUR.

J'LA PRENDS.

J'AI UN TRUC ICI ! UN VIEUX BOUQUIN COUVERT DE SYMBOLES.

FANTASTIQUE, C'EST UN GRIMOIRE !

IL A L'AIR TRÈS ANCIEN.

AVEC ÇA, JE VAIS CERTAINEMENT GAGNER UN NIVEAU.

PARCE QUE TU CROIS QUE JE VAIS T'LE DONNER ?

CET OBJET N'EST PAS POUR LES NAINS.

TU POURRAIS LUI DONNER QUAND MÊME.

D'ACCORD, JE TE LE VENDS... DIX PIÈCES D'OR.

ENFOIRÉ !

AVEC UNE RÉDUCTION DE 10% PARCE QUE T'ES SYMPA !

CINQ PIÈCES D'OR, PAS PLUS !

HUIT !

VENDU !

SIX PIÈCES D'OR ET UN SANDWICH AU POULET.

TOPE LÀ !

CLA

38

MarioN 2006

VOUS CROYEZ QUE C'EST LE MOMENT DE FAIRE DU COMMERCE ?

Y'A PAS DE PETIT PROFIT.

VOUS OUBLIEZ LES MONSTRES.

ÇA M'ÉTONNERAIT QU'ILS PASSENT LA RUNE DE PROTECTION.

CE COULOIR CONTINUE VERS LE SUD.

Y'A ENCORE DEUX DIRECTIONS.

À DROITE OU EN FACE.

SI ON REGARDE MA CARTE, IL VAUT MIEUX ALLER À DROITE. C'EST LOIN DES MONSTRES.

ALLONS-Y !

JE SUIS FATIGUÉÉÉÉE.

Y'A UNE ÉNORME GRILLE QUI BARRE LE CHEMIN. AVEC UNE SERRURE.

ATTENDEZ, JE VAIS REGARDER. JE PENSE QU'ELLE EST FACILE À CROCHETER.

TIENS, ESSAIE PLUTÔT LA CLEF DES GOBELINS.

CLIC !

IL EST PAS TRÈS ORIGINAL CE DONJON.

TROP FACILE !

VOUS SENTEZ PAS COMME UN TRUC BIZARRE ?

ÇA SENT L'ANIMAL CREVÉ.

ZOUB TOUKALO.

IL DIT QUE C'EST L'ODEUR D'UN TROLL.

GAOOR !

AH MEEEERDE !

39

QUELQU'UN SAIT COMMENT ON PEUT TUER UN TROLL ?

UN COUP D'ÉPÉE DANS LA GUEULE !

IL FAUT L'DÉCOUPER À LA HACHE !

UNE BONNE BOULE DE FEU, ET ON EN PARLE PLUS !

ON POURRAIT AUSSI PARTIR ET REFERMER LA GRILLE...

C'EST ÇA, ET PUIS ON CHANGERA JAMAIS DE NIVEAU !

LES MORTS NE CHANGENT PAS DE NIVEAU.

CALMEZ-VOUS, ON VA TROUVER UNE SOLUTION.

AGH TAKO ZDOMALUK.

IL DIT QU'ON PEUT L'AMADOUER EN LUI DONNANT À MANGER.

MAIS JE N'AI PAS ENVIE D'UN COPAIN TROLL !

MAIS ÇA POURRAIT NOUS ÊTRE UTILE !

SANS DOUTE QU'IL PEUT FAIRE UN NUMÉRO DE CLAQUETTES AVEC L'OGRE ?

ET IL FAIT AUSSI LES PAPIERS PEINTS ?

AH, VOUS ME FAITES CHIER, J'VAIS LIRE MON NOUVEAU GRIMOIRE !

BEN MOI, JE VAIS ATTAQUER LE TROLL !

MOI AUSSI !

ZOULAG !

EST-CE QUE MES FLÈCHES PEUVENT BLESSER UN TROLL ?

AUCUNE CHANCE, PUISQUE TU VAS TIRER À CÔTÉ.

C'EST BIZARRE, LE TROLL N'ATTAQUE PAS.

C'EST UNE EMBUSCADE, IL NOUS ATTEND !

ALORS ?

IL NE PEUT PAS NOUS ATTAQUER, IL EST ENCHAÎNÉ !

40

MARION 2006

AH, VOILÀ LE FAMEUX TROLL ! BONJOUR TROLL !! NOUS AMIS !

SHLAGUEVUK !

MAIS QU'EST-CE QU'IL DIT ?

BEN... J'EN SAIS RIEN !

KALOUNGA !

ET L'AUTRE QUI S'Y MET. MAIS BORDEL, OÙ EST LA MAGICIENNE ?

ELLE EST PARTIE BOUQUINER, ELLE FAIT LA GUEULE.

ON A BESOIN DES TRADUCTIONS, ALLEZ LA CHERCHER !

HÉ, VAS-Y TOI-MÊME, CHUIS PAS TON CHIEN !

MOI NON PLUS.

EST-CE QUE L'UN DE VOUS AURAIT L'EXTRÊME OBLIGEANCE D'ALLER QUÉRIR LA MAGICIENNE ?

NON !

J'AI ENVIE D'ME PENDRE...

Pendant ce temps, quelque part dans le donjon....

Ô TOUT PUISSANT ZANGDAR, DES INTRUS SÈMENT LA PANIQUE DANS TA NOBLE TOUR.

HAAHAHAHAHAAAA... ILS SONT PITOYABLES. ILS ONT MÊME FRAPPÉ AVANT D'ENTRER !

EUH... JE SAIS, MAIS C'EST À PROPOS DES MONSTRES QUE VOUS AVEZ ENVOYÉS...

EH BIEN, PARLE !

C'EST QUE, EUH... ILS ONT TOUS ÉTÉ BRÛLÉS DANS UN TORRENT DE LAVE !

DAMNED ! CETTE SORCIÈRE A DONC DE VRAIS POUVOIRS !

ET C'EST QUE... ILS ONT AUSSI SACCAGÉ NOTRE MAGASIN !

ILS PAIERONT POUR CET AFFRONT ! ET TOI AUSSI ! VAS DONC TE FAIRE FOUETTER !

EUH... BIEN MAÎTRE !

Un peu plus tard...

BON, J'AI RETROUVÉ LA MAGICIENNE !

J'AI UN DICTIONNAIRE TROLL QUELQUE PART DANS MON SAC.

T'AURAS BIENTÔT BESOIN D'UNE BROUETTE POUR TES LIVRES.

SHLAGUEVUK !

ALORS... SHLAGUEVUK... SHLAGUEVUK... SHLAGUEVUK !! ÇA VEUT DIRE MANGER !

C'EST TOUJOURS PAREIL AVEC LES MONSTRES.

SI ON LUI OFFRE À MANGER IL NOUS DONNERA CERTAINEMENT DES OBJETS.

ET QU'EST-CE QU'IL VEUT POUR SON DÎNER ?

OLVO ZLATOUM PAMMPAMM !

IL VEUT MANGER L'ELFE.

QUELLE BONNE IDÉE !

MAIS ÇA VA PAS LA TÊTE !

IL FAUT SAVOIR SE SACRIFIER PARFOIS.

ATTENDEZ, ON VA TROUVER UNE SOLUTION.

IL VEUT AUSSI UN PANIER DE POMMES.

MAIS QUE VA-T-IL FAIRE AVEC CES FRUITS ?

MOIII-JE-SAIIIS !

OUI, J'AI PEUR DE COMPRENDRE...

C'EST DANS LA CHANSON !

JE NE CONNAIS PAS CETTE CHANSON* !

C'EST MIEUX POUR TOI.

*ÉCOUTEZ LE CD "MACHINS DE TAVERNE"

ON NE POURRAIT PAS LUI DONNER AUTRE CHOSE ?

SHLAGUEVUK !

ÇA M'ARRANGERAIT BEAUCOUP !

MAIS NON, IL A FAIT SON CHOIX, ON NE VA PAS LE CONTRARIER.

ÇA FERA UN DANGER PUBLIC DE MOINS DANS CE GROUPE.

OUIiiiNH !!...

TABLOK GOBBO.

L'OGRE DIT QU'IL POURRAIT LUI DONNER DES MORCEAUX DE GOBELINS.

VOILÀ UNE IDÉE CONSTRUCTIVE !

C'EST VRAI ?

GROK ZOLADA !

IL EN AVAIT GARDÉ POUR SON PIQUE-NIQUE.

ZALADAAAAA !

SHLAGUEVUK COPAAAIN !

J'AIMERAIS SAVOIR CE QUE LE TROLL VA DONNER EN ÉCHANGE DE SON DÎNER.

DU CALME PETIT HOMME.

ÇA ALORS, IL PARLE NOTRE LANGUE !

EH OUAIS !

DIS DONC, TU T'ES FOUTU DE NOUS, LE TROLL !

LES CRIS, C'EST POUR EFFRAYER LES TOURISTES ! HUHÉHÉHÉ !

BON, EN TOUT CAS IL FAUT GAGNER TA CROÛTE MAINTENANT !

JE VAIS VOUS DONNER UN PLAN.

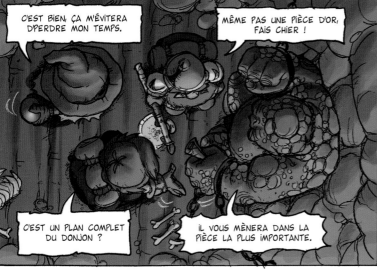

C'EST BIEN, ÇA M'ÉVITERA D'PERDRE MON TEMPS.

MÊME PAS UNE PIÈCE D'OR, FAIS CHIER !

C'EST UN PLAN COMPLET DU DONJON ?

IL VOUS MÈNERA DANS LA PIÈCE LA PLUS IMPORTANTE.

ET VOILÀ, À NOUS LA STATUETTE !

ÇA N'A PAS L'AIR BIEN LOIN.

43

Marion 2004

ET ON PEUT PAS AVOIR C'PTIT COFFRET LÀ ?

NON !

ALLEZ VIENS, ON S'EN VA.

MAIS ON PEUT NÉGOCIER, SI ON LUI DONNE L'ELFE ?!

LAISSE TOMBER.

Pendant ce temps, chez le Maître du Donjon...

ALORS, OÙ SONT-ILS ?

EUH... ILS SONT INTROUVABLES.

TU N'AS QU'À INTERROGER LES GOBELINS !

JUSTEMENT, EUH... LES GOBELINS...EUH...

QUOI ENCORE ?

ILS ONT DISPARU AUSSI.

INCAPABLES ! RETROUVEZ-LES !

BIEN MAÎTRE !

TU N'ES QU'UN LÂCHE !

JE SAIIIS...

JE CROIS QUE C'EST CETTE PORTE.

ATTENTION, C'EST PEUT-ÊTRE LE DERNIER SANCTUAIRE.

J'ENTENDS DES VOIX.

ALLEZ ! JE VAIS OUVRIR.

44

ON DIRAIT UNE TAVERNE, C'EST L'ENTRÉE DE SERVICE.

MAIS POURQUOI LE TROLL NOUS AURAIT ENVOYÉS ICI ?

IL A DIT "LA PIÈCE LA PLUS IMPORTANTE DU DONJON".

POUR LUI, C'EST SANS DOUTE L'AUBERGE.

JE SAVAIS BIEN QUE C'ÉTAIT L'ARNAQUE !

MAIS ?! HEYYYYYHAAAAAAAA !

TU CROIS QUE C'EST LE MOMENT DE DANSER ?

MAIS J'ARRIVE PAS À M'ARRÊTEEER !!!

TU DANSES BIEN POUR UN HUMAIN.

JE CROIS QUE CE SONT TES FAMEUSES BOTTES MAGIQUES. MAIS BIEN SÛR, CE SONT DES BOTTES DE DANSE ! ELLES S'AGITENT DÈS QU'ELLES ENTENDENT DE LA MUSIQUE !

ENLEVEZ-LES MOIII !!!

ARRÊTE DE BOUGER !

PEUX PAAAS !

ATTRAPEZ-LE !

VOILÀ !

VOUS ÉTIEZ PAS OBLIGÉS DE ME FRAPPER SUR LA TRONCHE !

45

BONSOIR MESSIEURS-DAMES !

MAIS QUEL EST CET ENDROIT ?

MAIS VOUS ÊTES À LA TAVERNE DE NAHEULBEUK !

LA TAVERNE DE NAHEULBEUK ?

CE DONJON EST BIZARRE...

MAIS DITES-MOI, Y'A SOUVENT DU MONDE COMME ÇA ?

OUI, C'EST TRÈS CONNU ICI !

EH MERDE JE CROYAIS QUE PERSONNE ÉTAIT JAMAIS ENTRÉ !

ET C'EST QUOI CE GROUPE AVEC L'ORQUE AU BANJO ?

MAIS C'EST LE GROUPE FOLKLORIQUE DE TOMMY VERDÂTRE !

ÇA BALANCE BIEN.

ALORS, EST-CE QUE JE VOUS SERS QUELQUE CHOSE ?

ON VA PRENDRE UN OURS ET UN TONNEAU DE BIÈRE.

VOUS AVEZ PAS UNE PETITE SALADE ?

OUI BIEN SÛR !

BON ! ON VA S'INSTALLER ALORS.

EH MERDE, COMMENT ON VA PAYER TOUT ÇA ?

MAIS ON VA PAS PAYER, ON VA S'ENFUIR AVANT QU'ELLE APPORTE LA NOTE !

MAIS C'EST MALHONNÊTE !

CE N'EST PAS GRAVE NOUS SOMMES DÉJÀ POURSUIVIS.

TU VEUX PAS DANSER UNE PETITE GIGUE AVEC TES SUPER BOTTES ?

AH, MERDE À LA FIN !

Après toutes ces aventures, le groupe avait bien mérité une pause à la taverne. Mais le plus dur restait encore à venir, car ils n'avaient toujours pas mis la main sur la statuette de Gladeulfheura. Quels dangers impitoyables nos héros devront-ils encore affronter pour que s'accomplisse la mystérieuse prophétie ?...

46